CW00842133

Cyhoeddwyd gan Gymdeithas Lyfrau Ceredigion Gyf.,
Blwch Post 21, Yr Hen Gwfaint, Ffordd Llanbadarn,
Aberystwyth, Ceredigion SY23 1EY.
Argraffiad cyntaf: Hydref 2006
ISBN 1-84512-049-3

Dyluniwyd y clawr gan Adran Ddylunio Cyngor Llyfrau Cymru
Cefnogwyd y gyfrol gan Gyngor Llyfrau Cymru
Argraffwyd gan Grafiche AZ, Verona, Yr Eidal

Sali Mali a'r Ceffyl Gwyllt

Dylan Williams

Lluniau gan Calon TV

CYMDEITHAS LYFRAU CEREDIGION GYF

'Ac enillydd het orau Sioe Haf y pentref yw – Sali Mali! Llongyfarchiadau, Sali Mali,' meddai'r beirniad. 'Mae hi'n het hyfryd. Yn llawn blodau a ffrwythau a gwellt a . . . '

Ond yn sydyn . . .
Bang! Clec! Wooo! Waaa!
'Beth yw'r sŵn mawr 'na?' holodd Sali Mali.
Rhedodd pobl heibio i'r stondin gan chwifio'u breichiau a gweiddi dros y lle. 'Gwyliwch! Mae ceffyl gwyllt yn rhydd!'

Rhuthrodd pawb ymlaen i gael gweld.
'Wps-i! Gwyliwch fy het i,' meddai Sali Mali.
Roedd y ceffyl yn rhedeg ac yn rhedeg.

Rhedodd y ceffyl trwy'r cawellau ieir!

Rhedodd y ceffyl trwy'r stondin grochenwaith!

Rhedodd y ceffyl yn erbyn y stondin ffrwythau!

Roedd pobl yn sgrialu i
bob cyfeiriad gan weiddi,
'Ceffyl gwyllt!
Ceffyl gwyllt!'

O'r diwedd rhedodd y ceffyl i mewn i gornel.
'O, diar,' meddai Sali Mali. 'Y ceffyl druan.
Tybed a ddylen i . . . ?'

BWYD

‘O’r ffordd!’ brathodd dyn annifyr mewn côt wen.
‘Pawb o’r ffordd! Mi ddelia i â’r ceffyl ’na!’
A gwthiodd y dyn heibio i Sali Mali.
‘Hei, ti! Gwylia fy het i,’ meddai Sali Mali.

Camodd y dyn annifyr at y ceffyl a cheisio taflu'r rhaff am ei wddw. 'Saf yn llonydd!' gwaeddodd yn gras. 'Weee-iii!' gweryrodd y ceffyl. 'Weee-iii!'

A lwyddodd y dyn annifyr yn y gôt wen
i roi'r rhaff am wddw'r ceffyl?

'Awwww . . .'

'Waaaa . . .'

Thymp!

O, naddo.

'Hei, gwylia fy het i!' meddai Sali Mali.

Waaaa...
BWYD

'O'r ffordd!' brathodd dynes annifyr mewn côt wen. 'Pawb o'r ffordd! Mae angen gwasgu'r ceffyl 'na fel na all o symud!' A gwthiodd y ddynes heibio i Sali Mali. 'Hei, ti! Gwylia fy het i,' meddai Sali Mali.

Camodd y ddynes annifyr at y ceffyl a cheisio gwasgu'r llidiart arno.
'Saf yn llonydd, wnei di!' meddai'n gras.
'Weee-iii!' gweryrodd y ceffyl. 'Weee-iii!'

A lwyddodd y ddynes annifyr yn y gôt wen i wasgu'r ceffyl fel na allai symud?

'Awwww . . .'

'Waaaa . . .'

Thymp!

O, naddo.

'Hei, gwylia fy het i!' meddai Sali Mali.

Waaaa...
BWYD
CŴN

‘Druan ohono,’ meddai Sali Mali. ‘Nid ceffyl gwyllt ydi hwnna. Ceffyl wedi dychryn ydi o.’
Daliodd ei het hyfryd yn dynn yn ei llaw a dweud, ‘Mae gen i syniad.’

'Esgusodwch fi,' meddai Sali Mali gan wthio trwy'r dorf. 'Rydw i am geisio dal y ceffyl.'

'Na! Paid, Sali Mali!' meddai Siencyn a Jac y Jwc. 'Mae'n rhy beryglus. Yn *llawer* rhy beryglus!'

Ond ni wrandawodd Sali Mali
arnynt, a chamodd tua'r
ceffyl gwyllt.
Roedd llygaid y ceffyl
yn fawr ac yn goch.
Roedd clustiau'r ceffyl
yn ôl ar ei ben ac
roedd yn palu'r
ddaear â'i garn.

‘Weee-iii!’ gweryrodd y ceffyl.
‘Dyna ti, geffyl bach,’ meddai Sali Mali mewn llais tawel.
Estynnodd ei het hyfryd tuag ato.
‘Dyna ti. Nid gwyllt wyt ti. Wedi dychryn wyt ti, ’nde?’

'Weee-iii!' Edrychodd y ceffyl yn amheus ar yr het. 'Dyna ti,' meddai Sali Mali'n dawel eto. 'Dyna ti.'

Ond yna aroglodd y ceffyl y blodau.

Aroglodd y ffrwythau.

Aroglodd y gwellt.

Daliodd Sali Mali'r het o flaen ei drwyn a cherddded yn ôl yn araf deg. 'Dyna ti,' meddai Sali Mali'n dyner dyner. 'Tawela di.' O dipyn i beth dilynodd y ceffyl yr het nes . . .

. . . o'r diwedd camodd allan o'i gornel yn hollol ufudd – a bwyta het hyfryd Sali Mali!

'Sgrensh, sgrensh!'

'Dyna ti,' meddai Sali Mali. 'Rwyt ti'n ddiogel rŵan,' a rhoddodd fwythau mawr iddo.

'O, Sali Mali, diolch am achub 'y ngheffyl i!' meddai'r ferch. 'Yr hen fan wen 'na ddychrynodd o!'

'A-hem!' pesychodd y beirniad. 'Sali Mali, mae gen i rywbeth bach ichi!'

'Fel Prif Swyddog Rosetiau'r Sioe mae'n bleser gen i gyflwyno Rosét Person Dewraf Sioe Haf y pentref i – Sali Mali! Llongyfarchiadau eto!' meddai'r beirniad.

'Ie, llongyfarchiadau!' gwaeddodd pawb.
Wel, hynny yw, pawb ar wahân i'r ceffyl.
'Sgrensh, sgrensh!' dywedodd y ceffyl – sy'n golygu,
'Mmmm, dyma het orau'r sioe yn bendant!'